PAISLEY & SARASA

WORLD TEXTILE COLLECTIONS 8

PAISLEY & SARASA

Kyoto Shoin

First published in Japan 1991 by KYOTO SHOIN INTERNATIONAL Co., Ltd.
Sanjo agaru, Horikawa, Nakagyo-ku, Kyoto, Japan. TEL[075]841-9123

ISBN4-7636-8093-5

Printed and bound in Kyoto by SHASHIN KAGAKU Co., Ltd.

ワールド・テキスタイル・コレクションズ

　このシリーズは、世界中で使われている基本的なテキスタイルのデザインパターンを集め、シリーズとして出版することで、テキスタイルデザイナーのみならず、グラフィック、パッケージデザインその他の、あらゆるデザイナーのニーズに応えるべく世界中から集められたデザインソース集です。今日、あらゆる物には、デザインと切りはなせない関係があると言えます。その中でもテキスタイル、すなわち衣服における装飾デザインは、最も重要な役割を持っていると言えます。服飾デザインは、人間の最も根源的な欲望、人間のみならず動物全てにある自分を美しく見せたいという気持の象徴でもあります。テキスタイルデザインこそ、この人間の飾る、着るという基本的な考え方、欲求の現れ方です。服飾デザインの歴史は、こういった人間の歴史を見るための、ひとつの重要な尺度であると言えるでしょう。

　現代においては、価値観の多様化からさまざまなデザインの衣服が作られるようになり、女性だけのテキスタイルデザインに留まらず、男性や子供の衣服に至るまで、変化に富んだ楽しいデザインを見ることができるようになりました。物が豊かになった現代においては、ますますその傾向を強くし、他者との違いを住居、衣服、持物などによって主張していくようになっていると言えます。こういったユーザーのニーズに応えるべく、デザイナーは、あらゆるデザインの情報に通じていなければならない時代にあり、そのニーズに応えるよう日夜努力している状況であると言えます。
　このシリーズでは、そういったデザイナーのみならず、一般のユーザーにとっても格好の参考書となるでしょう。

PAISLEY & SARASA

Paisley pattern is said to have derived from the Kashimirian shawls that were first created in Kashmir region in India and then were widely favored in Europe.

It was the classic and typical pattern for the woolen showls manufactured extensively in a small town in Scotland called Paisley in the early 18th century, hence the name Paisley pattern.

It is considered that these Kashimirian shawls were brought into the countries in Europe around the 18th century, and the progress of the printing technology in the 19th century enabled this Paisley pattern to be printed in mass production, causing its tremendous popularity throughout the world. Incidentally, Paisley pattern is called bootar in India, palms in France, and peizuli in Japan, respectively.

This book is a superb collection of design patterns, introducing a wide variety of paisley patterns ranging from the basic ones to the contemporarily arranged ones.

ペイズリー・アンド・サラサ

　ペイズリー文様は、インドのカシミール地方で造られ、後にヨーロッパで爆発的に流行したカシミールショールにその源を発していると言われています。

　インドのカシミール地方は、その豊かな土地に糸杉やヒマラヤ杉等が育ち、バラ、シャクナゲが溢れんばかりに咲き誇るインドのパラダイスとして繁栄を究めてきました。その美しい自然が、カシミールショールを生み出したとも言えるでしょう。

　この美しいカシミールショールに注目したヨーロッパ人は、これを持ち帰り、そのコピーを造ろうとあらゆる努力を続けてきました。19世紀に入ると、技術の進歩が、このペイズリー文様のコピーの大量生産を可能にし、やがて世界中にペイズリー文様が広がってゆくことになりました。

　ペイズリー文様は、インドではブーターという花模様の総称で呼ばれ、フランスではパルム、日本では19世紀末にプリントのショールを生産していた町の名前からペイズリーと呼ばれるようになったものです。

　本書は、ベーシックなパターンから現代風にアレンジされた物まで、数多くのペイズリー文様を集めた基本的なデザインパターン集です。

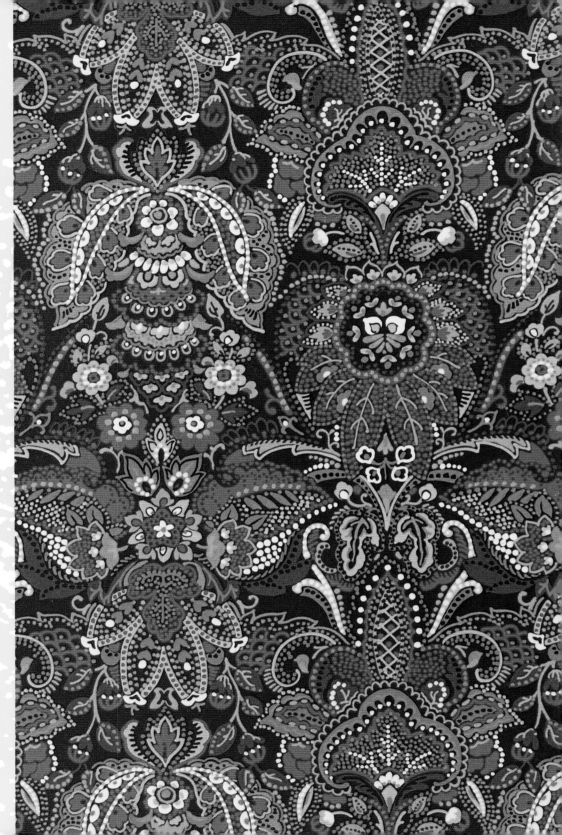

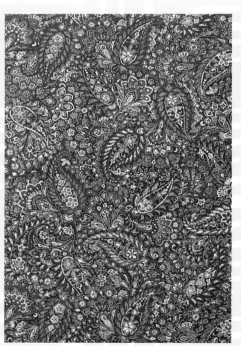

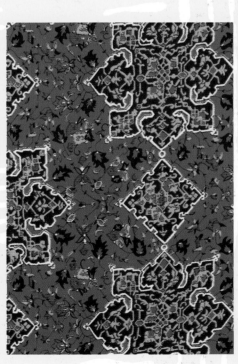

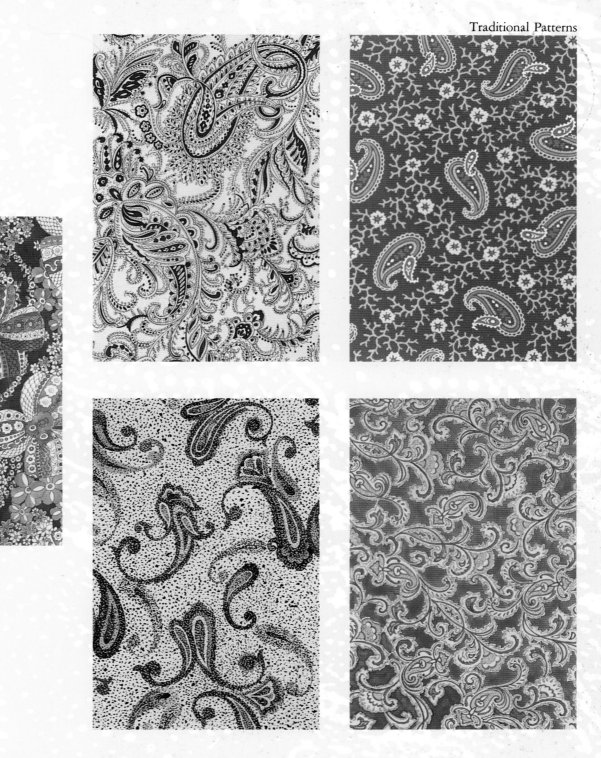

22

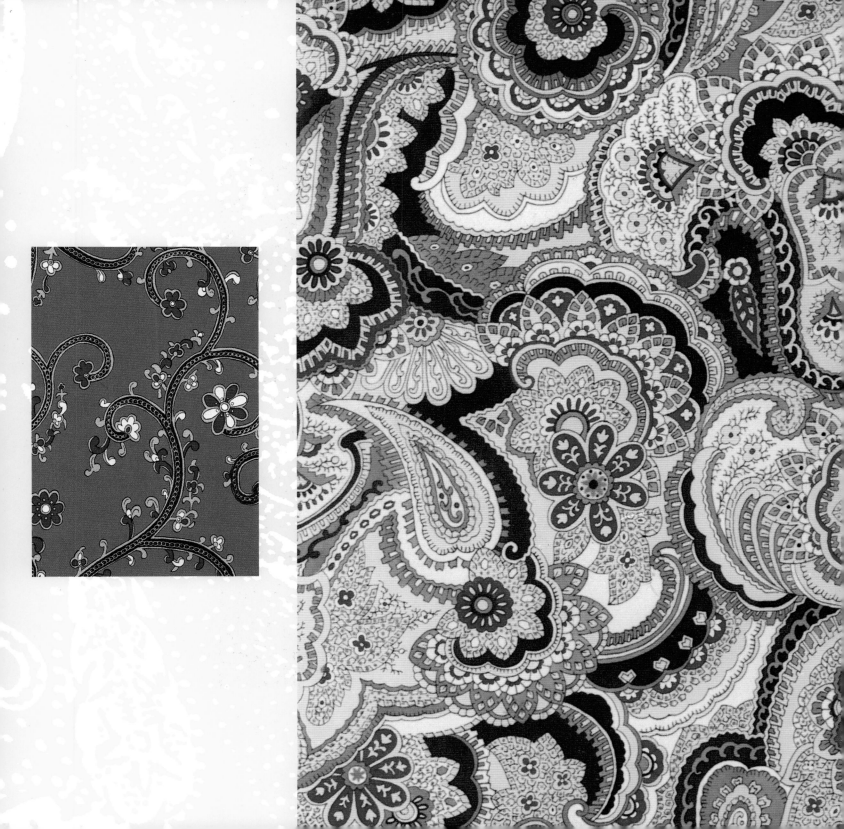

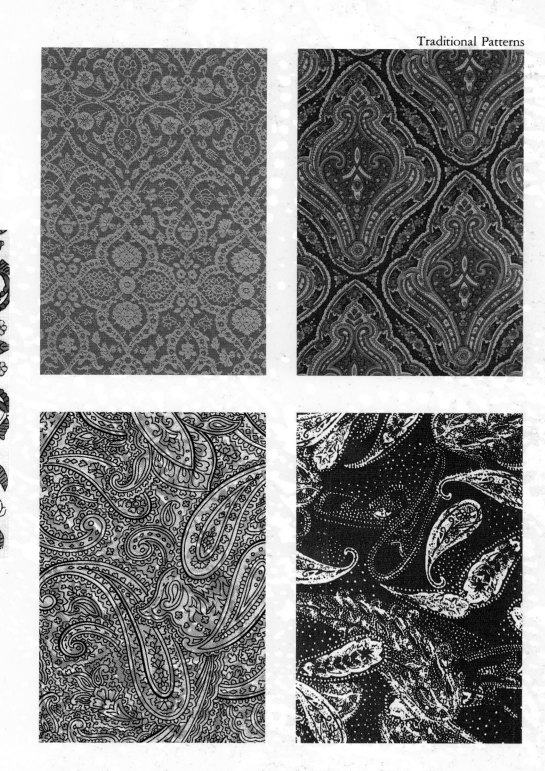

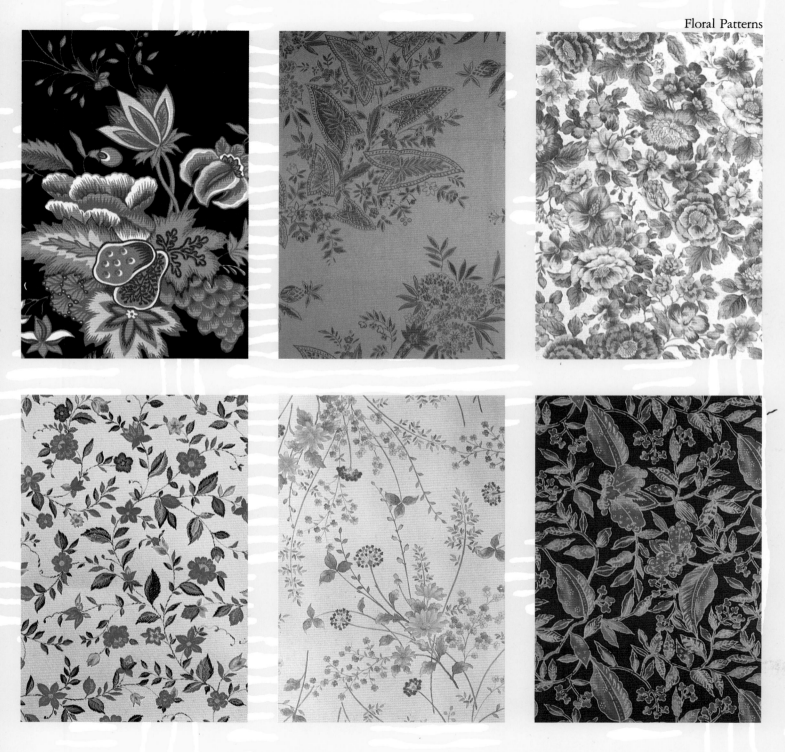

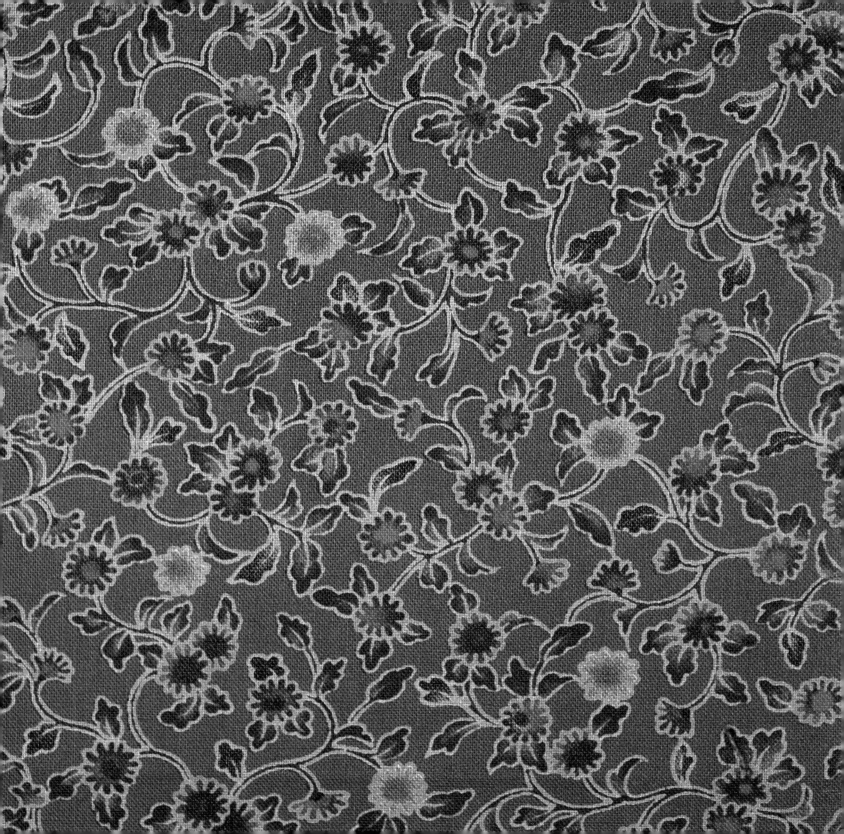

34

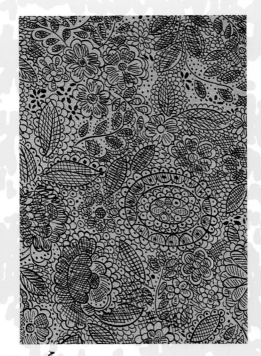

38

41

42

44

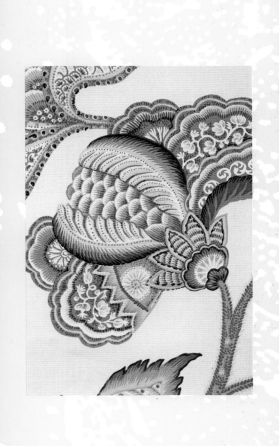

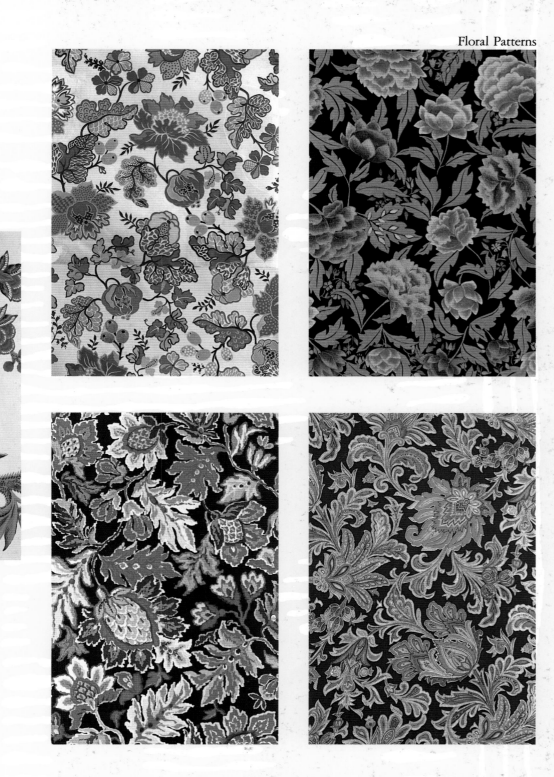

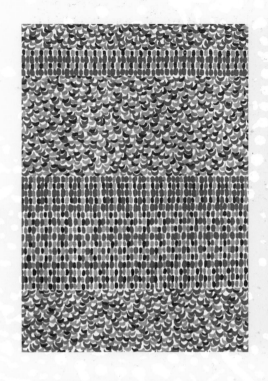

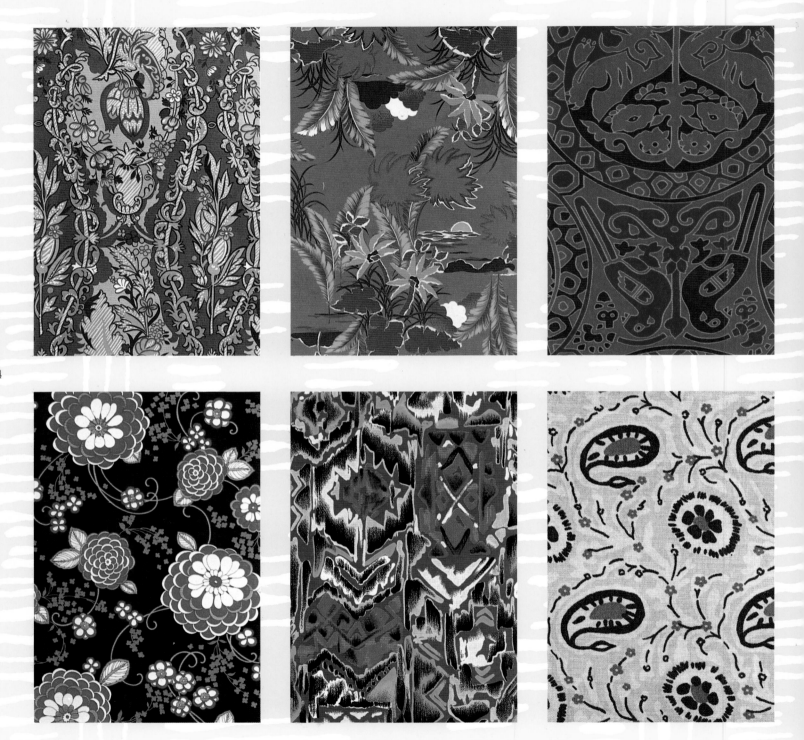

54

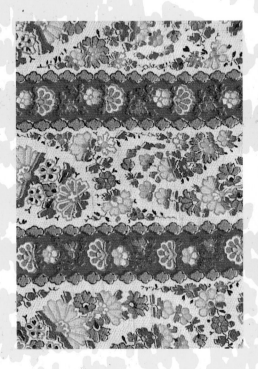

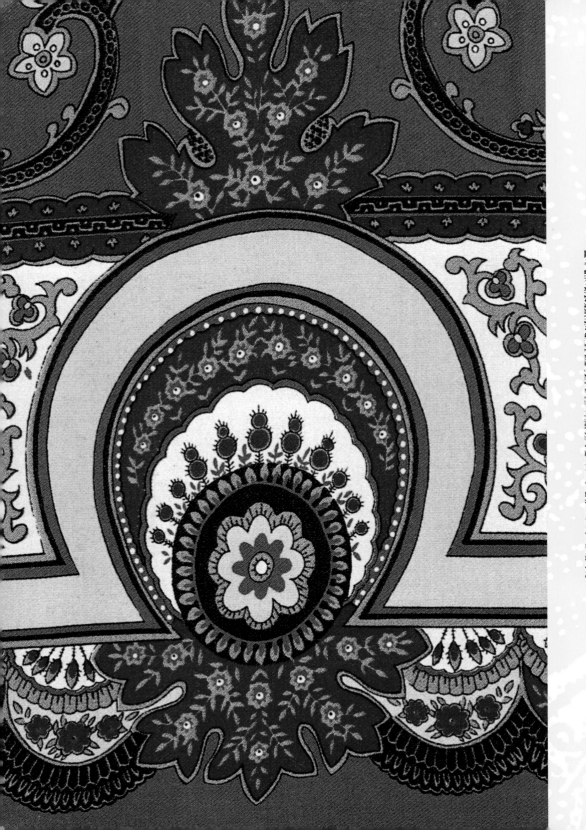

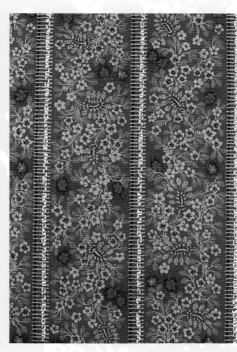

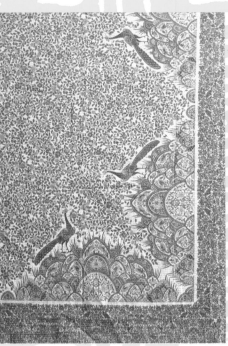

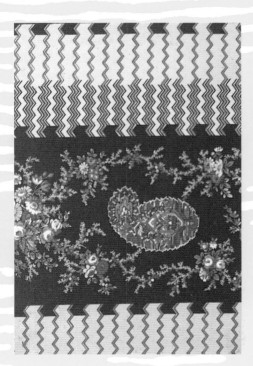

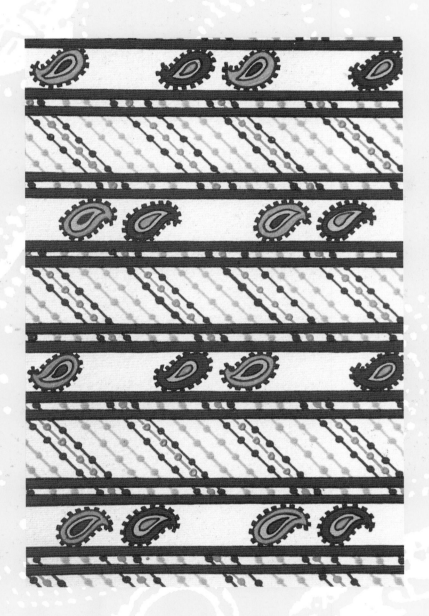

70

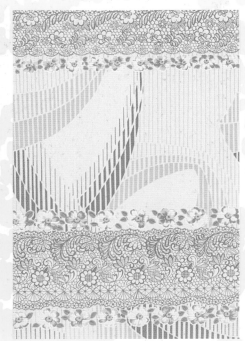

74

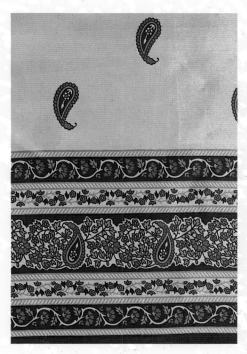

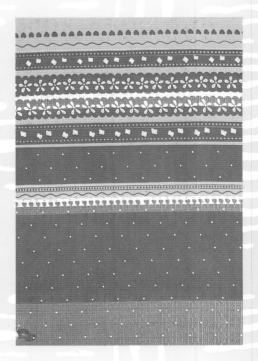

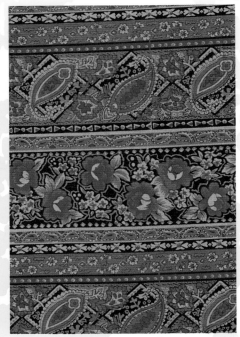

ワールド・テキスタイル・コレクションズ　8

ペイズリー・アンド・サラサ

1991年12月31日　　初版第1刷発行

発 行 者　●　藤岡　護
発 行 所　●　株式会社京都書院
　　　　　　　　本社／〒604　京都市中京区堀川通三条上ル
　　　　　　　　　　Tel.(075)841-9123　Fax.(075)841-9127
　　　　　　　　営業／Tel.(075)344-0053　Fax.(075)344-0099
印刷製本　●　株式会社写真化学

Printed in JAPAN

WORLD TEXTILE COLLECTIONS

1.**BASIC FLOWER**　フェミニン、モダン感覚を中心にしたベイシックな花柄

2.**EUROPEAN STUDIO PART 1**　1900年代のヨーロッパのデザインスタジオの作品を集約

3.**ETHNICAL ASIA**　エスニックな感覚の東南アジアを中心にしたバティックカラー

4.**TROPICAL FLOWER**　エキゾチックなトロピカル風の花のイメージ

5.**SPORTS MIX**　幾何柄をベースに躍動感あふれるパターン集

6.**ABSTRACT PATTERN**　抽象的なトレンドパターンをテーマにした1992年へ向けてのパターン集

7.**ANTIC FLOWER**　ロココ時代から1800年代へかけてのクラシックイメージ

8.**PAISLEY & SARASA**　更紗が持つ重厚なイメージを現代風にアレンジ

9.**ETHNICAL U.S.A**　1950年代のアメリカをイメージした、メキシカンタイプからタバタイプのパターン集

10.**TROPICAL CASUAL**　トロピカルの原点からカジュアルパターンをとらえ、カジュアルへの方向性を表現

11.**CASUAL GEOMETRIC**　スタンダードカジュアルを幾何パターンで表現

12.**EUROPEAN STUDIO PART 2**　PART 1に続くヨーロッパデザインパターン集

ACTIVE DESIGN　for Print Design Planning

第一線活躍の経験豊かなクリエーターが、数多くのデザイン群の中から特にすぐれたものを厳選、編集した本書は、極めて実用価値の高い内容を有したプリントデザイン集である。構成されているデザインは、すべてオリジナルデザインばかりで、作者たちが長い経験と実績にもとづいて描きあげた作品である。図版1,173点、フルカラー。

30.3×23.6　648p　定価45,000円(税込)

THE BEST IN INTERNATIONAL TEXILE DESIGN SERIES

EUROPEAN TEXTILE PATTERNS
・TRADITIONAL STYLE・(全2巻)

18〜19世紀ヨーロッパで制作され、現代ファッションの基礎を築いた文様1800点(2巻合計)を、当時の『実物見本帳』のまま収録、復元した貴重な資料。

36.5×29.5　Vol.1 56p　Vol.2 64p　定価各3,900円(税込)

PAISLEY TEXTILE PATTERNS
・18th CENTURY EUROPE・

18世紀後半にフランスで制作されたペイズリー文様（インド、ペルシャ、ヨーロッパ更紗など）98点を、大胆なクローズアップ写真と斬新なレイアウトでとらえたデザイン集。

36.5×29.5　80p　定価3,900円(税込)

JAPANESE STYLE
・TEXTILE DYEING PATTERNS・(全4巻)
・TEXTILE DESIGN PATTERNS・(全2巻)

日本人の洗練された意匠や色彩は、着物や帯という一画面に集約され、独自の文化を形成した。本書では、花鳥に代表されるこれらの文様を全6巻(1200点)に集録した決定版。

29×29.2　124p　定価各3,900円(税込)